# Andrea Boc

# THE COLLECTION





**WISE PUBLICATIONS**
*part of The Music Sales Group*
London / New York / Paris / Sydney / Copenhagen / Berlin / Madrid / Tokyo

Published by
**Wise Publications**
14 -15 Berners Street, London W1T 3LJ, UK.

**Exclusive Distributors:**
**Music Sales Limited**
Distribution Centre, Newmarket Road,
Bury St Edmunds, Suffolk IP33 3YB, UK.
**Music Sales Pty Limited**
20 Resolution Drive,
Caringbah, NSW 2229, Australia.

Order No. AM994862
ISBN: 978-1-84772-665-0


Arranged by Roger Day and Vasco Hexel.
Engraved by Paul Ewers.

A project by Caterina Caselli Sugar
Produced and arranged by Mauro Malavasi
(except 'Time To Say Goodbye (Con Te Partirò)',
'Romanza' and 'Vivo Per Lei' produced by Mauro Malavasi
and arranged and realised by Mauro Malavasi and Joe Amoruso)

'Songo' Cat No. 547 221-2
'Romanza' Cat No. 456 456-2
Owned by Insieme S.r.i and exclusively licensed to
Polydor B.V., The Netherlands, outside of Italy,
a Universal Music Company. Made in the EU.
All tracks used by kind permission of the publishers.

Printed in the EU.

# A VOLTE IL CUORE

Words & Music by Pieromarras

A B A B E
già mi pre - se ma-lat - ti - a. A vol - te il cuo - re.
G G/F♯ Em
Di voi Ma-don-na an-ge - li-ca mi in-chiu-de la ma-gì - a sic - chè nul - l'al - tra veg - gio com - pa -
D G G/F♯ Em Em/D
- gni - a non V'ac - cor - ge - te dun - que Voi d'un tal che muo - re
C D C D
di u - na si - mi - le a - go - ni - a. A vol - te il cuo - re

G
D
C
D
G
D
a volte il cuore.
E
B
E
B
C♯m
fr4
B
E
B
C
D
Gmaj7
Nu-da car-mi-na ad ma-jo-ra
C
D
Gmaj7
C
D
nu-da car-mi-na in car-mi-ne
nu-da car-mi-na ad ma-jo-

Gmaj7
Em
Am
E♭maj7
- ra "Sa-ga-po ma-lis-ta e - is a - ei".
D♭
D♭/C
B♭m
A♭
D♭
D♭/C
B♭m
G♭
A♭
G♭
A♭
D♭
A7sus4
A vol - te il cuo - re.

G
G/F♯
Em
Se dir vor-re-ste Voi ch'io sia qua-lun-que io sa-rò già son co-lui che sen-za star non
D
G
G/F♯
E
E/D
C
può di di-man-da-re a-mor sep-pur d'a-mor de-ri-so se vo-le-ste io sa-
D
C
D
G
D
C
D
-rò. A vol-te il cuo-re a vol-te.
Repeat to fade
E
B
E
B
C♯m
fr4
B
E
B

# A TE

Words & Music by Andrea Bocelli

Fsus4/E♭ F5/D Fsus4/D F5 D7
la fe - li - ci - tà che sa - rà.
F5/B♭ F5/A Gm7 Dm/F
Per - ché sei sei tu nei miei
Fsus4/E♭ Fsus4/D Em7♭5 B♭sus2
sog - ni e nel - le nos - tal - gie co - sì for - te-
Fsus4 B♭sus2 E♭m/B♭
-men - te mi - a.

F5/B♭
5fr
F5/A
5fr
Gm7
3fr
Ma con te vo - - la
Dm/F
6fr
Fsus4/E♭
3fr
Fsus4/D
3fr
via l'e - co di un do - lo - re
Em7♭5
7fr
B♭sus2
Fsus4
F
che pe - sa in ques - - - - ta vi - ta
D♭sus2
4fr
A♭/C
B♭m7
mia. Ma io co - me po - trò es - se - re sem - pre

Fm
G♭
B7/A
D♭/A♭
4fr
— l' u - ni - co_ re - ga - lar - ti il sog - no
Gm7♭5
D♭add9
4fr
A♭sus4
4fr
che tu m'hai_ fat - to vi - ve -
Eadd9
B/D♯
4fr
C♯m7
4fr
3
-re._ a - mo - re mi - o._
B
A
D9
4fr
E/B
A♯m7♭5
Co - me il so - le an - che di più scal - di

E/B
Bsus4
E
G
ques - - to cuo - re tu.
Csus2
3fr
G/B
Am7
Saxophone solo
Em7/G
C7/G
3fr
F
G/B
Em7
Am
D7/F♯
G

E♭sus2 6fr B♭/D 3fr Cm7 3fr

Sai per - ché sia - mo in - sie - me io e

Gm 3fr A♭ 4fr E♭/B♭ 6fr Am7♭5 4fr

te per te il nos - tro a - mo - re è un in -

E♭/B♭ 6fr A♭sus2 6fr E♭sus2

con - - tro d'a - ni - me.

B♭/D Cm7 3fr A♭maj7 6fr A♭m6 4fr E♭ 6fr

Mmm.

# BECAUSE WE BELIEVE

Words by Andrea Bocelli & Amy Foster Gilles
Music by David Foster

G A/G D/F♯ G A/G D/F♯
fret - ta e vai, c'è chi cre - de in te
Em7 D/F♯ Em/G D/A A7
non ti ar - ren - - de - re.
D G/D D G/D
2. Once in ev - 'ry life there comes a time, we
3. Guar - da a - van - ti e non vol - tar - ti mai.
D F♯7/A♯ Bm D/A
walk out all a - lone and in - to the light. The mo - ment won't
Ac - ca - rez - za con i sog - ni tuoi, le tue spe -

G
A/G
D/F♯
D/F♯
last
but then,
we re-mem-ber it a-gain
-ran - ze e poi
ver-so il gior-no che ver-rà
Em7/G
D/F♯
Em
D
A7
when we close our eyes.
c'è un tra - guar - do là.
Like
D
G
D
stars a - cross the sky.
E per av-
Em7
A7
-vin-ce-re
tu do-vrai vin-ce-re.

D
G
Bm
Em7
D/F#
Gm/Bb
A
We were born to shine all of us here because we be-
1.
D
G/D
D
G/D
-lieve.
2.
Bb
Fmaj7/A
5fr
Gm
3fr
C
-lieve. Non ar - ren-der-ti qual-
Gmaj7/B
Gm/Bb
A
-cu - no è con

F
B♭
F
C
te.
F
B♭
A/C♯
Am/C
B♭
A
E♭
6fr
A♭
4fr
Like stars a - cross the
E♭
6fr
B♭
E♭
6fr
A♭
4fr
sky,
we were born to

Cm
3fr
Cm/B♭
8fr
Fm
A♭m
4fr
shine.
E per av - vin - ce - re do - vrai
E♭/B♭
6fr
Am7♭5
4fr
N.C.
B♭
vin - ce - re,
e al - lo - ra vin - - ce -
E♭
6fr
A♭/C
B♭
E♭
6fr
A♭/C
B♭
- rai.
E♭
6fr

# BELLISSIME STELLE

Words by Luigi De Crescenzo
Music by Francesco Sartori

F♯m
G
che gon - fia le fon - ta - ne cad-
D
Em/G
-rai, cad - rai, sul fon - do scen - de-
G
D
- rai, nell' a - ni - ma che scal - da gli oc - chi
A
D
miei e an - co - ra ti vor - rei... E di

Bm A G6 Bm A
not - te an - dar via tra i pen - sie - ri las - sù
G6 Em7 F#m7
fer - me in - tor - - no a noi bel - lis - si - me
Bm Em F#m Bm
stel - le. Ver - rai, ver -
Gmaj7
- rai, do - vun - que tu sa - rai nel

D
F♯m
ven - to che smuo-ve le cam -
G
D
-pa - ne. Quag - giù, quag - giù, tra
G
D
fan - go e nu - vo - le nel tem - po che ral - len - ta i pas - si
A
D
miei vi - ci - no ti vor - rei... Og - ni

Bm
A
G6
Bm
A
not - te an - dar via fi - no ai sog - ni, las - sù
G6
Em7
F♯m7
per se in - tor - - - no bel - lis - si - me
Bm
Em
stel - - le. Ti nas -
Bm
A
G
Bm
A
- con - di e vai via tra le om - - bre, lag - giù

G
Em7
F♯m7
— ste - se in - tor - - no a noi bel - lis - si - me
Bm
Choir
Bm
3
stel - le.
Ah...
G
3
D
Bm/F♯
A
E an-

Bm
Bm/A
G6
-co - ra ti vor-rei, ti vor-
G
F♯sus4
F♯
Bm
N.C.
-re - i...
E og - - ni
Cm
B♭
A♭
Cm
B♭
Cm/B♭
A♭
3fr
4fr
8fr
gior - no che av-rò, og-ni at - ti mo in più cer-che-
Fm9
Gm
B♭/C
Cm
Gm
-rò per te bel-lis-si-me stel - le. Cer-che-
3

Cm
B♭
A♭
Cm
Cm/B♭
A♭
-rò, cer - che rò per tro-ve -
Fm7
Gm
B♭/C
Cm
-rò per te bel-lis - si - me stel - le. Le bel-
Cm/E♭
Cm/F
Cm/G
G/B
Cm
-lis - si-me stel - le las-sù per te.

# CANTICO

Words by Andrea Bocelli
Music by Pierpaolo Guerrini & Mauro Malavasi

Dm Am C Gm Dm B♭m7aug F B♭ D♭ A♭
ri - nun - cia - re a vi - ve - re re - sta qua se ti va
(Verse 2 see block lyric)
Dm Am C Gm Dm Am
non pen - sa - re ab - brac - cia - mi la - scia - mi so - gna - re la tua pel - le mo - bi - da
C Gm Dm F B♭ D♭ A♭ Fm6 B♭7(♭9)
vo - glio ac - ca - rez - za - re e fin - ché non a - vrò an - che l'a - ni -
E♭ Em7 A7 Dsus4 D Bsus4 Bm
- ma io sa - rò sem - pre sul - la tua sci - a non puoi fug -
fr3 fr4

G
D
Esus4
E
A7
Dsus4
D
-gi - re per-ché sei mi - - a per-ché ti vo - glio per-ché mi
1.
Bsus4
Bm
fr6
E9
A7
Dm
Am
C
fr3
Gm
vuo - i un mon-do si a-pre in-tor-no a noi.
2.
Bsus4
Bm
fr6
E9
A7
B7
vuo - - i tut-to sa - rai per me.
Esus4
E
fr4
C♯sus4
fr4
C♯m
A
E
F♯sus4
F♯
B7
Per-ché ti

*Verse 2:*
E se vorrai crederlo
Io sarò l'angelo
Che non ti abbandonerà
Quando sul tuo viso
Non vedrà risplendere
Dolce il tuo sorriso
E finché non avrò
Anche l'anima
Io sarò sempre sulla tua scia
Non puoi fuggire
Perché sei mia
Perché ti voglio
Perché mi vuoi
Tutto sarai per me

# CANTO DELLA TERRA

Words by Lucio Quarantotto
Music by Francesco Sartori

C D Esus4/2 Em 𝄋 C C♯sus4

-ta - na___ già lon - ta - - - - - na. Guar-da que-sta ter - - - ra

G Em Em7/D Csus2(add♯11) C G Em

che che gi-ra in-sie-me a noi an-che quan-do è bu - - - - io. Guar-da que-sta

*To Coda* ⊕

C C6 G G7aug Em Em7/D Csus2(add♯11) C

ter - ra che che gi-ra an-che per noi a dar-ci un po' di so - le,

Am Gsus4 G

so - - - le, so - - - le.___

Em
Am
Am7
D
Em9
Em
My love che sei l'a-mo-re mi - o sen-to la tua vo - ce e a-schol-to il ma - re
Em7
A
C
D
G
sem - bra dav-ve-ro il tuo re - spi - ro l'a-mo-re che me da - i — que-sto a-mo-re che sta lì na-
Em
A
C
D
Em
D.%. al Coda
-sco-sto in mez-zo al-le sue on - de a tut-te le sue on - de co-me u-na bar - ca che… Guar-da que-sta
Coda
Am
Em
so - - - - - - le.
Choir: And I see this

C G Em Em7 C♯sus4 C
fr4
world, this world roll - in' with us, al - so when it's dark, when it's
G Em C G
Guar - da que - sta ter - ra che che gi - ra in - sie - me a
dark. And this world will roll a - gain to reach the bright - est
Em D Dsus4
noi a dar - ci un po' di so - - - - le migh - ty
light, to reach the migh - ty sun.
C Em
rall.
sun, migh - ty sun.

# IL MARE CALMO DELLA SERA

Words by Gloria Nuti & Adelmo Fornaciari
Music by Gianpietro Felisatti & Adelmo Fornaciari

D
D
mio. E se anche il sorgere del sole
F#7sus4
F#7
Bm
F#m/A
ci trovasse ancora insieme per favore dimmi no
G#m7b5
3fr
D/F#
Bm7
Asus4
A/C#
Dsus4
rende stupidi anche i saggi l'amore, l'amore mio.
D
A
A/G
Dsus4
D
F#
3
Se dentro l'anima tu fossi

Bm F♯m/A G♯m7♭5 D/F♯ Em G6/B Asus4 A
mu - si - ca, se il so - le fos - se den - tro te, se fos - si ve - ra - men - te den - tro
Dsus4 D F♯ B11 F♯m/A G♯m7♭5
l'a - ni - ma mi - a al - lo - ra sì che u - dir po - trei nel mio si -
D/A A A/C♯ Dsus4 D
- len - zio il ma - re cal - mo del - la se - ra. Pe -
D
- rò quell 'im - ma - gi - ne di te co - sì per - sa nei miei

F#7sus4
F#7
Bm
F#m/A
G#m7b5
3fr
oc - chi
mi por-tò la ve - ri-tà
a-ma quel-lo chenon
Dadd9/F#
Bm7
Asus4
A/C#
Dsus4
D
ha
l'a-mo - re,
a-mo - re mio.
A
A/G
D
F#
3
Se den-tro
l'a - ni-ma
tu fos - si
Bm
F#m/A
G#m7b5
D/F#
E
G/B
Asus4
A
mu - si - ca,
se il so - le
fos-se den-tro te,
se fos-si ve-ra-men-te den-tro

Dsus4
D
F♯
Bm
F♯m/A
G♯m7♭5
3fr
l'a - ni-ma m-ia al - lo - ra sì che u-dir po-trei il ma - re
D/A
Bm7
Asus4
B♭7sus4
cal - mo del-la se - - - ra
E♭sus4
6fr
E♭
G
Cm
Gm/B♭
Am7♭5
4fr
Nel mio si-len-
E♭/B♭
B♭sus4
- zio il ma-re cal - mo del-la se - - ra.

# MAI PIU' COSI' LONTANO

Words & Music by Mauro Malavasi

Em7
Am7
Em7
Gsus4
(8va)
più — sen-za la ma - no che ti {ve - ste il / scal - da il} cuor. Mai
C
Am
Dm
G
più — co-sì lon-ta - no — mai più — co-sì lon-ta - no — mai
Em
Am
Dm
Gsus4
più — {sen-za il ca-lo - re che ti scal - da — il cuor. / sen-za l'a-mo - re che ti ha a - spet - - - ta - - - to.}
Gm7
fr3
Am7
B♭maj7
Am7
E mil - le gior - - ni — e mil - le not - ti — sen -

F Bb G#dim Am/C Am

-za ca - pir sen - za sen - tir sen -

A7 Dm Dm/C

-za sa - per che non c'è nien - te al mon - do

Bb F/A Bb/Ab Bb/G Bb/F

nem - men nel più pro - fon - do sei so - lo tu sol -

**1.** C7/E Eb6 G7 **2.** C7/E Eb A

-tan - to tu. -tan to tu.

D
Bm7
Em7
Am7
Mai
F♯m7
Bm7
Em7
più senza la mano che ti scalda il
Asus4
D
Bm7
cuor mai più così lontano mai
Em7
Am7
F♯m7
più così lontano mai più senza l'a-

Bm7
Em7
Asus4
-mo - re di chi ti ha a - spet - - - ta - - - - - - -
G
F6
E7
F6
- to.
Gm
fr3
F6
E♭maj7
F
D
decresc.

# MILLE LUNE MILLE ONDE

Words by Luciano Quarantotto & Claudio Corradini
Music by David Foster & Francesca Sartori

F
Gm
F
Sve - glia - ti vie - ni qua fra
B♭7
B♭6
C
le mie ma - ni nas - ce il so - le.
A♭
B♭
E♭
F
Gm
F
E♭
Non pen - sa - re al pas - sa - to quan - ta neb - bia c'è là,
A♭
B♭
E♭
F
Gm
F
E♭
strin - gi - mi e par - la - mi an - co - ra e ve - drai si ri - vi - vrà.

B♭
B♭/D
F/A
B♭
Le - ga-mi con i ca-pel - li il cuo - - re
E♭
6fr
F
B♭
B♭/D
tu mia on-da scen - di den-tro me.
Strin - gi-mi che or-mai io so-no il
F/A
B♭
E♭
6fr
F
B♭
ma - re ques - to bri-vi-do ti scio-glie-rà.
F
Gm
3fr
F
Par - la-mi, ab-brac - - cia-mi,

B♭7
B♭6
C
3fr
sci - vo-la azzur - ra lu - na.
A♭
4fr
B♭
E♭
6fr
F
Gm
3fr
F
E♭
6fr
Fog - lie e il ven - to ci por - ta sia-mo al - i ver - so il blu.
A♭
4fr
B♭
E♭
6fr
F
Gm
3fr
F
E♭
6fr
Strin - gi - mi e las - cia - te an - da - re il mio vien - to o - ra sei tu.
B♭
B♭/D
F/A
B♭
Le - ga - mi con i ca - pel - li il cuo - - re

E♭ F B♭ B♭/D
tu mia on-da scen - di den-tro me. Strin - gi-mi che or-mai noi sia-mo il
F/A B♭ E♭ F B♭
ma - re ques - to bri-vi-do ti scio-glie-rà.
Gm C/E Gm Dm
E le not - ti fug - go-no, sci - vo-lo ba-cian - do-ti.
E♭maj9 Dm/F Gm Dm/A
Mil - le lu - ne, mil - le on - de, che at - tra-ver - sa-no il nos - tro

B♭
B♭/D
F/A
B♭
ma - - re.
E♭
6fr
F
B♭
5
6
B
B/D♯
4fr
F♯/A♯
4fr
B
E
F♯
Le - ga-mi con i ca-pel-li il cuo - re ques - to bri - vi - do ti scio-glie-rà.
B
B/D♯
4fr
E/G♯
4fr
B/F♯
F♯7sus4
D6
Aadd9
B

# 'O MARE E TU

Words & Music by Enzo Gragnaniello
Portugaise Lyrics by Dulce Pontes

Dm
na nos-sa voz, cho-rar co-mo quem so-nha sem-pre na-ve-gar nas ve-las ru-bras deste‿a-mor
B♭(♭5)
A
B♭(♭5)
A
ao lon - ge‿a bar - ca lou - ca per - de‿o nor - te.
B♭
Andrea:
Am - mo - re mi - o si nun ce stess 'o ma-re‿e tu

Am
Dm6
3
3
nun ce stes-se man-ch'i - o am - mo-re
B♭
mi - o l'am-mo-re‿e-si-ste quan-no nu - - - je stam-me vi-ci-no‿a
Am
B♭
3
Di - o am - mo - - - - - - - - - -
Am
To Coda
E♭
fr3
-re.
Dulce: No teu o-lhar um es-pe-lho de‿á - -

Dm
-gua a vi-da a na-ve-gar por en-tre o so-nho e a má - goa sem um a-de-us se-quer
A
E man-sa-men - te, tal-vez no mar, eu fei-ta em espu-ma en-con-tre o
Dm
B♭(♭5)
sol do teu o-lhar, vo - ga ao de le - ve, meu a-mor
A
3
3
3

B♭(♭5)
A
D.%. al Coda
ao lon - ge‿a bar - ca nu - a‿a to - do‿o pa - no.
Coda
E
Dulce: La la la la...
Am
E
Andreas: La la la la...
Am
Repeat to fade

# ROMANZA

Words & Music by Mauro Malavasi

B♭maj7
Gm7
C
Am7
Dm
B♭maj7
to - glie anche l'ul-ti-mo ve - lo anche l'ul-ti-mo cie - lo anche l'ul-ti-mo
Gm7
C7
F
F/A
B♭
C
ba - cio ah for-se col - pa
Dm
B♭maj7
Em7(♭5)
Am7
B♭
Gm7
1.
C
mi - a ah for-se col - pa tua e co - sì son ri-ma-sto a pen-sar. 2. Ma la
2. C
Dm
D sus 4 2
Dm
- dar. E lo chia-ma-no a-mor, e lo chia-ma-no a-mor

Gm/B♭
Gm7
Em7(♭5)
C♯dim
fr3
e lo chia-ma-no a-mor u-na spi-na nei cuo-re che non fa do-lor
Dm
Em
F
G
è un de-ser-to que-sta gen-te con la sab-bia in fon-do al cuo-re e
C
Am7
Dm7
G7
tu che non mi sen-ti più che non mi ve-di
Cmaj7
Caug
Fmaj7
Bm7(♭5)
Bdim
più a-ves-si al-me-no il co-rag-gio e la for-za di dir-ti che so-no con

C/E
Dm7
Cmaj7
C6
Bdim
N.C.
te a - ve a - ve a - ve Ma - ri - - - -
Ped.
A
B♭
Gm7
C
Am
- - a.
Dm
Dm/A
B♭
C
Dm
B♭maj7
Em7(♭5)
Am7
B♭
Gm7
Ah for-se col-pa mi-a ah for-se col-pa mia a co-sì son ri-ma-sto co-
C
Fadd9
F
Fadd9
F
poco rit.
- sì son ri-ma-sto co - sì Già la

*Verse 2:*
Ma la vita
Ma la vita cosè
Tutto o niente
Forse neanche un perché
Con le mani
Lei mi viene a cercare
Pio mi stringe
Lentamente mi lascia
Lentamente mi stringe
Lentamente mi cerca
Ah forse colpa mia
Ah forse colpa tua
E così sonno rimasto a guardare.

# THE PRAYER

Words & Music by David Foster & Carole Bayer Sager
Italian Translation by Alberto Testa & Tony Renis

F/A
B♭
Gm/C
fr3
and help us to be wise in times when we don't
E♭/F
F
a tempo
Gm
poco rit.
know.
Let this be our prayer,
Gm7/C
C7
A7sus4
A7
when we lose our way.
Dm
B♭
Dm
Am
B♭
F/C
C
Lead us to a place, guide us with your grace to a place where we'll be

B♭/F
F
B♭
safe.
I pray we'll find your
Andrea: La lu-ce che tu dai
C7sus4
C7
F
F/A
light,
and hold it in our hearts
nel cuo-re re-ste-rà
a ri-cor-dar-ci
B♭
C sus4
C
Gm/C
C
E♭/F
when stars go out each night.
Oh!
che
l'e-ter-na stel-la sei.

a tempo
F7
Gm
fr3
poco rit.
Gm7/C
C7
Let this be our prayer,
Nel - la mia pre - ghie - - - ra
quan - ta fe - de
A7sus4
A7
Dm
B♭
when sha - dows fill our day,
c'è.
Lead us to a place.
Dm
Am
B♭
F/C
C7
B♭/F
guide us with your grace.
Give us faith so we'll be safe.
Give us faith so we'll be safe.

F
cresc.
C/B♭
B♭
C/B♭
Fsus4
F
So - gna-mo‿un mon - do sen - za più vio - len - za, un mon - do
So - gna-mo‿un mon - do sen - za più vio - len - za, un mon - do
C/B♭
B♭
C/B♭
Fsus4
F
di giu - sti - zia‿e di spe - ran za, o - gnu - no
di giu - sti - zia‿e di spe - ran - za, o - gnu - no
B♭
Fsus4
F
Dm
dia la ma - no‿al suo vi - ci - no sim - bo - lo di
dia la ma - no‿al suo vi - ci - no sim - bo - lo di

D♭
B♭m
Fsus4
F
pa - ce, di fra-ter-ni - ta.
pa - ce, di fra-ter-ni - ta.
La for-za che ci
E♭
Fsus4
F
Fsus4
F
We ask that life be kind,
dai
è il de - si - de - rio
B♭
B♭9/D
E♭
and watch us from a - bove.
We hope each soul will
che
o-gnu-no tro-vi a - mo - re

Fsus4
F
A♭/B♭
fr4
B♭
find an - oth - er soul to love. Let this be our
in - tor - no e den - tro sé. Let this be our
Cm
fr3
Cm7/F
F7
F7/E♭
D7sus4
prayer, let this be our prayer, just like ev - 'ry
prayer, just like ev - 'ry child,
D7
Gm
E♭
Gm
Dm
child, need to find a place, guide us with your grace . . .
need to find a place, guide us with your grace . . .

E♭
B♭/F
F7
E♭/B♭
B♭
Gm
E♭
Give us faith so we'll be safe.
E la fe - de che
Give us faith so we'll be safe.
E la fe - de che
liberamente
Gm
Dm
F
molto rit.
B♭/F
F7
hai ac - ce - so in noi...
sen - to che ci sal - ve -
hai ac - ce - so in noi...
sen - to che ci sal - ve -
G♭
A♭
B♭
rà.
rà.

# SOGNO

Words by Giuseppe Servillo
Music by Giuseppe Vessicchio

A7
Dsus4
D
poi del tuo ri - tor - - - no.
G
D
Sei co - sì si - cu - ra del mio a - mo - re da por - tar - lo via con te
Am7
Am7/D
fr5
G
C
chiu - so nel - le ma - ni che ti por - ti al vi - so ri - pen - san - do an - co - ra a me. E se ti
Em
Em7
A
ser - vi - rà lo mo - stri al mon - do che non

D
Bm
D
sa che vi - ta c'è nel cuo - re che di - strat - to sem-bra as -
Bm
Em
- sen - te non sa che vi - ta c'è in quel - lo
A
Dsus4
D
che sol - tan - to il cuo - - - re
Asus4
A
D
Bm
sen - te non sa.

G
Gmaj7
Em
Am
Qui ti a - spet - te -
F7aug
D
Gsus4
G
- rò e ru - be - rò i ba - ci al tem - - - po.
C
G
Tem - po che non ba - sta a can - cel - la - re coi ri - cor - di il de - si - de - rio che
Dm7
Dm7/G
C7
F
re - sta chiu - so nel - le ma - ni che ti por - ti al vi - so ri - pen - san - do a me. E ti ac - com -

Am
Am7
D
A7sus4/E
D
G
-pa - gne-rà pas-san - do le cit - tà da me
Choir: La la la
Em
G
Em
da me che so-no ancora qui e so-gno co-se che non
la la la la la la la la la la la la
Am
F
D
so di te do-ve sa-rà che stra - da fa-rà il tuo ri-
la la la la la la la la la la la la la
Gsus4
G
Am7/D
D7
G
-tor - - - no. So - - - - - gno.
la la la la la la la la la

Em
G
Em
la la la la la la la la la la la la la
Am
F
D
Qui ti͜ a - spet - te - rò e ru - be - rò i ba - ci͜ al
la la la la la la la la la la la la
Gsus4
G
D
E♭
tem - po so - gno un ru - mo - re͜ il ven - to che mi
la la la la
Cm
G
sve - glia e sei già qua.

# TIME TO SAY GOODBYE (CON TE PARTIRÒ)

Words by Lucio Quarantotto & Frank Peterson
Music by Francesco Sartori

Gadd9
fr3
D
Em
C
D
ten.
Su le fi-ne-stre mo-stra a tutti il mio cu-ore che hai ac-ce-so.
mf
Chiu-di dentro me la lu-ce che hai in con-tra-to per stra-da.
a tempo
G
Time to say good-bye, pa-e-si che non ho
mai, ve-du-to e vis-su-to con me, a-des-so si, li vi-

G D Em C G D
vrò con te, par - ti - rò su na - vi per ma - ri che io lo
Em C G C D
so, no, no, non e - si - sto - no più, it's time to say good-bye.
poco rit.
Male:
G
Quan - do sei lon - ta - na sog - no al - l'o - riz - zon - te e man - can le pa - ro - le.
C D Am/C Bm/D C D Em
E io si, lo so che sei con me, con me, tu mia lu - na, tu sei qui con me
mf mf mf mp mp mp
do not break
sustain
Body involvement

O = sustain

C D Am/C Bm/D Em D G D
rall.
a tempo 1…
mi-o so-le tu sei qui con me, con me, con me, con me. Time to say good-
mf mf mf
Em C G D Em C
bye, pa - e - si che non ho mai, ve-du-to e vis-su-to con
G C D G D Em C
me a-des-so si, li vi-vrò con te. Par-ti-rò su
f
G D Em C G C D
Both:
na-vi per ma-ri che io lo so, no, no, non e-si-sto-no pi. Con te io li ri-vi -

A
E
F♯m
D
vrò con te
par - ti - rò
su
na - vi per ma - ri
che io lo
ff
so,
no, no non e - si - sto - no
più
con te io li ri - vi - vrò con te
par - ti -
fff
rò.
Dm
Em
C
rall.
Io con te.
f

# UN CANTO

Words by Sergio Bardotti
Music by Ennio Morricone

A♭ Gm E♭maj7 A♭ E♭11 E♭9
scel - to te quan - ta la
A♭ E♭/G Fm B♭11 B♭7
stra - - da die - tro‿a noi.
E♭ Fm/E♭ E♭maj7 A♭/E♭ B♭ B♭m/D♭ C7aug(♭9) C7(♭9)
E‿o - ra - mai sa - rò par - te di
(Verse 2 see block lyric)
Fm D♭m/F♭ A♭/E♭ B♭/D Cm/G G7(♭9) Cm Fm7
te mi sen - to co - - - -

D/F♯
Gm7
Cm
E♭/G
me u - na goc - - - - - cia nel
A♭
B♭
B♭m/G
C7aug(♭9)
C7(♭9)
Fm
ma - re - tuo co - - - - -
C7/G
Fm/A♭
E♭/B♭
Fm/B♭
Gm/B♭
A♭
Gm7
- me u - na fo - glia nel tuo al - - - -
Adim
G/B
Cm
Fm7
D
Gm7
- be - ro co - - - - - me u - na pie - - - -

Cm
fr3
E♭/G
A♭
fr4
B♭
B♭m/G
C7aug(♭9)
C7(♭9)
-tra nel - la ca - sa che
To Coda
Fm7
C7/G
Fm/A♭
E♭/B♭
B♭
E♭
an - - - che per me fa - - - rai.
E♭
A♭
3
E♭
Fm
E♭maj7
A♭
Fm
E♭maj7
Quan - to tem - po c'è da -

*Verse 2:*
Ma orami tu sei
Parte di me
Ti sento
Come il mio corpo
La mia città

Come i bei sogni
Che mi attendono
Come una pietra
Che metto via
Per fare casa mia

# VIVO PER LEI

Words by Gatto Panceri
Music by Mauro Mengali & Valerio Zelli

C♯m
C♯m/B
A
B
vi-bra-re for - te l'a - ni - ma vi-vo per lei e non è un pe - so.
E
C♯m
Aadd9
Female:
Vi-vo per lei an-ch'io, lo sai e tu non es - ser-ne ge-lo - so.
E
C♯m
A
E/G♯
Lei è di tut - ti quel - li che han-no un bi-so - gno sem - pre ac-ce - so.
F♯m
C♯m
C♯m/B
Co-me u-no ste - reo in ca - me-ra di chi è da so - lo e a-des - so sa

A
B
Esus4
E
G♯7
Male:
che è an-che per lui per ques-to, io vi-vo per lei.
È u-na mu-sa che ci in-
C♯m
C♯m/B
A
B
E
G♯7sus4
G♯7
Female:
Male:
-vi-ta
A sfio-rar-la con le di-ta.
At-tra-ver-so un pia-no-
C♯m
C♯m/B
A
F♯m
Bsus4
B
-for-te la mor-te è lon-ta-na, io vi-vo per lei.
G♭
E♭m
C♭add9
Female: Vi-vo per lei che spes-so sa es-se-re dol-ce e sen-su-a-le

G♭
E♭m
C♭
G♭/B♭
a vol - te pic - chia in tes - ta ma è un pu - gno che non fa mai ma - le.
A♭m
fr4
Male:
E♭m
E♭m/D♭
Vi - vo per lei lo so, mi fa gi - ra - re di cit - tà in cit - tà
C♭
D♭
B♭sus4
B♭7
Female:
sof - fri - re un po' ma al - me - no io vi - vo. È un do - lo - re quan - do
E♭m
E♭m/D♭
C♭
D♭
Male:
Female:
Vi - vo per lei den - tro a - gli ho - tels
par - te.
con pia - ce - re e - stre - mo

G♭
B♭sus4
B♭7
Both:
vi - vo per lei nel vor - ti - ce at - tra - ver - so la mia
cre - sce
E♭m
E♭m/D♭
C♭
Adim
vo - ce si e span - de e a - mo - re pro - du - ce.
Em
Bm
Bm/A
Male:
Vi - vo per lei nien - t'al - tro ho e quan - ti al - tri in - con - tre - rò
G
A
F♯sus4
F♯
Bm
Bm/A
che co - me me han - no scrit - to in - vi - so io vi - vo per lei.

G
A
D
Bsus4
B7
Male:
Female:
io vi - vo per lei.
Male:
So - pra un pal - co o con - tro a un
Em
Em/D
C
D
G
mu - ro
an - che in un do - ma - ni du - ro.
Female: Vi - vo per lei al li - mi - te
vi - vo per lei al mar - gi - ne.
Bsus4
B7
Em
Em/D
Both:
O - gni gior - no u - na con - qui - sta la pro - ta - go -
C
Am7
Dsus4
D
- ni - sta sa - rà sem - pre lei.

G
Male:
Vi - vo per lei perché o - ra - mai
Em
C
G
io non ho al - tra via d'u - sci - ta
per-ché la mu - si - ca, lo sai,
Em
C
G/B
Am
Female:
dav-ve-ro non l'ho mai tra-di - ta.
Vi-vo per lei per-ché mi dà
Em
Em/D
C
D
pa - u - se e no - te in li - ber - tà
ci fos-se u - n'al - tra vi - ta la vi - vo,

Bsus4
B7
Em
Em/D
la vi - vo per lei.
Male: Vi - vo per lei la mu - si - ca
C
D
G
io vi - vo per lei.
vi - vo per lei è u - ni - ca.
Bsus4
B7
Em
Em/D
C
Am7
Female:
Both:
Io vi - vo per lei,
io vi - vo per
Dsus4
D
rit.
C
G/B
Am
G
D
Male:
Female:
lei,
io vi - vo per lei.

# LA VOCE DEL SILENZIO

Words by Mogol & Paolo Limiti
Music by Amelio Isola

Cm
3fr
Cm6
Cm7
3fr
B♭
Ed ho sen - ti - to nel si - len - zio u - na vo - ce den - tro me.
E♭
6fr
A♭/E♭
4fr
E♭
6fr
A♭/E♭
4fr
E♭
6fr
A♭/E♭
4fr
E♭
6fr
A♭/E♭
4fr
3
3
E tor - nan vi - ve trop - pe co - se che cre - de - vo mor - te or -

E♭
G
-mai.
A♭
E♭/G
E chi ho tan-to a-ma-to dal ma-re del si-len-zio
Fm
E♭7
ri-tor-na co-me un'on-da nei miei oc-chi.
A♭
E♭/G
E quel-lo che mi man-ca nel ma-re del si-len-zio

Fm
B♭
G5
3fr
mi man-ca sai mol-to di più.
Cm
3fr
Fm
E♭
6fr
B♭
Ci so-no co-se in un si-len-zio che non mi as-pet-ta-vo
E♭
6fr
G
3fr
mai...
Vor-rei u-na vo-ce

A♭
4fr
E♭/G
6fr
ed im - prov - vi - sa - men - te ti ac - cor - gi che il si - len - zio
Fm
E♭7
6fr
ha il vol - to del - le co - se che hai per - du - to.
A♭
4fr
G7
Ed io ti sen - to a - mo - re, ti sen - to nel mio cuo - re
Cm
3fr
Bdim
stai ri - pren - den - do il pos - to che tu non a - ve - vi per - so

E♭/B♭
6fr
B♭
mai, che non a - ve - vi per - so
E♭/B♭
6fr
B♭
mai, che non a - ve - vi per -
A♭
4fr
E♭/G
6fr
Fm
- so mai.
D♭/E♭
6fr
A♭
4fr
E♭maj7/G
Fm

G
N.C.
Cm
3fr
Fm
E♭
6fr
G
Vo - le - vo sta - re un po' da so - lo per pen - sa - re tu lo
Cm
3fr
E♭
6fr
A♭/E♭
4fr
sai.
Ma ci son co - se in un si -

E♭
6fr
A♭/E♭
4fr
E♭
6fr
-len - zio che non mi a - spet - ta - vo mai... Vor - rei u -
G
A♭
4fr
-na vo - ce. Ed im - prov - vi - sa - men - te
E♭/G
6fr
Fm
ti ac - cor - gi che il si - len - zio ha il vol - to del - le co - se
E♭7
6fr
A♭
4fr
che hai per - du - to. Ed io ti sen - to a - mo - re,

G
Cm
3fr
3
ti sen-to nel mio cuo - re, stai ri-pren-den - do il pos - to
Bdim
E♭maj7/B♭
B♭
che tu non a-ve-vi per-so mai,
E♭/B♭
6fr
C♭
E♭/B♭
6fr
che non a-ve-vi per-so mai, che non a-ve-vi per-so
B♭7sus4
N.C.
Cm
3fr
mai, tu non a-ve-vi per-so mai.
5
5
3